LOLA L

& asoci

Las nuevas aventuras de Lola Lago

Amor en línea

Autoras
Lourdes Miquel y Neus Sans

Coordinación editorial
Pablo Garrido

Redacción
Carolina Domínguez

Diseño y maquetación
Pedro Ponciano

Ilustraciones
Sebastià Cabot

Corrección
Pablo Sánchez

Traducción
Anexiam

Fotografías
Cubierta taramara78/Gettyimages

ISBN: 978-84-18032-09-7

Impreso en la UE

C/ Trafalgar, 10, entlo. 1ª
08010 Barcelona
Tel. (+34) 93 268 03 00
Fax (+34) 93 310 33 40
editorial@difusion.com

www.difusion.com

LOLA LAGO
& asociados

Las nuevas aventuras de Lola Lago

Amor en línea

Lola Lago y asociados

Estos son los personajes principales de las historias de Lola Lago y asociados:

Lola Lago
Es la jefa, desde hace 30 años, de una agencia de detectives en Madrid. Lola ya tiene sesenta años, y continúa siendo una mujer fuerte, valiente y seductora. Tiene una gran intuición y mucha experiencia. Y le encanta la informática.

Sara
Es la hija de Lola. Quiere ser actriz. Como no tiene mucho éxito, de vez en cuando trabaja en la agencia. Y a veces le gusta...

Paco
Es uno de los socios de Lola desde el principio. Un cincuentón, calvo, gordito e inteligente que tiene mucho éxito con las mujeres.

Miguel
Es el otro socio de la agencia. Alto, guapo y elegante, pero un poco tímido y callado.

Personajes principales

Margarita
Es la secretaria de toda la vida. Aunque es un poco ingenua y despistada, Margarita es una persona importante en la familia Lola Lago y asociados.

Gustavo
Es un venezolano que vive en Madrid y trabaja de informático en la agencia, pero tiene vocación de *hacker*. Los ordenadores y la red no tienen secretos para él.

Carlos, Cristina y Raquel
La agencia ha crecido y ha contratado a tres jóvenes. Cada uno, con su carácter y con su talento, colabora en la resolución de los casos.

En *Amor en línea* vas a conocer, además, a estos otros personajes:

Emilio Peña
Es un cliente de la agencia. Necesita a los detectives para un caso de espionaje industrial un poco especial.

Karim
Trabaja en un locutorio. Es curioso, sabe muchas cosas de la gente y de lo que pasa en su barrio. Le gustaría ser detective.

Adolfo
Un hombre con una vida misteriosa en internet.

Andrés
Es un amigo de Adolfo que, sin querer, está en un lío.

MP3 y soluciones disponibles gratuitamente en
difusion.com/descargas-amorenlinea

Amor en línea

1
¿La vida es bella?

Es lunes. A Lola Lago no le gustan los lunes. A casi nadie le gustan los lunes. Lola Lago es la jefa de una agencia de detectives privados en Madrid. La agencia tiene casi treinta años y Lola está un poco cansada de trabajar tanto. "Tengo que jubilarme. Sara ya puede llevar* la agencia", piensa a veces. Pero Sara, su hija, quiere ser actriz. No quiere ser detective como su madre. De momento, cuando Sara está sin trabajo, que es casi siempre, ayuda en algunos casos.

Pero este lunes Lola no piensa en jubilarse. Tiene un caso interesante de espionaje industrial y ha pasado un fin de semana agradable. Ha descansado en su piso del Madrid de los Austrias¹. Ha leído, ha cocinado, ha dado un paseo por el Rastro² y ha visto diez capítulos de una serie de Netflix... "No ha estado mal el fin de semana", piensa al salir de casa.

---

1. El Madrid de los Austrias es la zona más antigua de Madrid. Hay pequeñas calles y monumentos interesantes, y es una de las partes más turísticas de la capital.

2. El Rastro es un mercado al aire libre, originalmente de objetos de segunda mano, que se monta todas las mañanas de domingos y festivos en el barrio de Lavapiés. Para muchos madrileños ir al Rastro es una actividad típica del domingo por la mañana.

* Los asteriscos indican qué palabras o expresiones están traducidas en el glosario al final del libro.

A las nueve y media Lola entra en la oficina. Sus socios aún no han llegado. Solo está Margarita, la secretaria de toda la vida. Margarita trabaja en la agencia desde su fundación. "Empezamos bien la semana... —piensa Lola—. ¡Aquí no trabaja nadie!". Paco y Miguel, sus socios, son buenos compañeros, buenos detectives, pero a ellos tampoco les gustan los lunes y siempre llegan tarde.

—Hola, Margarita. ¿No hay nadie?

—Estoy yo.

—¿Y los demás?

—Paco ha llamado. Está en Barcelona con un caso.

—¿En Barcelona? ¿Un caso nuevo? No lo sabía.

—No sé... Me parece que "el caso" se llama Irina. Es rusa, ingeniera y muy guapa, dice...

Paco se enamora muy fácilmente y siempre tiene novias extranjeras.

—¿Y Miguel?

—Viene a las diez. Tenéis reunión con un tal Peña, ¿te acuerdas?

—Ah, es verdad.

—¿Y Sara tampoco ha llegado?

—No. Hoy no viene. Tiene un *casting*. Y supongo que Raquel, Carlos y Cristina están a punto de llegar.

La agencia ha crecido en los últimos años. Raquel, Carlos y Cristina son los nuevos ayudantes. Y también está Gustavo, el informático. "¡Qué equipo tan puntual tengo!", piensa Lola.

—Oye, tú estás muy guapa hoy, Margarita —dice Lola—. Te has pintado, ese vestido es nuevo... ¡Y hay flores en tu mesa! ¿Pasa algo?

Lola ha notado que Margarita está contenta. "¿Contenta un lunes? ¡Qué raro!".

—Sí, es primavera, hace sol... La vida es bella, ¿no crees?

—Bueno, a ratos... —murmura* Lola, escéptica.

Lola entra en su despacho pensando en Margarita. "¿Qué le pasa? ¿Un lunes con esa sonrisa? Margarita tiene razón: es primavera, el cielo de Madrid está increíblemente azul... A lo mejor la vida es bella... algunos días".

2
Pollitos hembras y pollitos machos

A las diez en punto llega Emilio Peña. Es un caso de espionaje industrial muy curioso.

Lola, Miguel y Peña pasan a la sala de reuniones.

—¿Cuál es su problema, señor Peña? ¿Un café?

—No, gracias. He tomado ya varios. Llámame Emilio[3]. Si vamos a trabajar juntos... En nuestra empresa Avestec nos dedicamos a la industria de la alimentación. El año pasado patentamos* una técnica revolucionaria para sexar* pollos. Por medio del ADN.

—¿Para "sexar" pollos?

—Sí, para saber el sexo de los pollitos recién nacidos, para saber si son hembras o son machos.

Miguel y Lola miran a Peña con la boca abierta*, cada vez más sorprendidos.

—Como podéis imaginar, es muy difícil.

—Me lo imagino —dice Lola.

—Es un trabajo muy complicado, de especialistas. Necesitan tres años de formación. Pero es un trabajo muy bien pagado.

A Lola y a Miguel les cuesta imaginar que alguien se dedique a eso, a sexar pollitos.

—Con nuestra tecnología, sabemos si de un huevo va a salir un macho o una hembra. Los machos son para el consumo. Las hembras, para huevos.

---

3. En España, incluso en relaciones profesionales, es bastante frecuente tutearse entre personas de la misma profesión o colectivo profesional.

A Lola las granjas de pollos no le gustan nada. Si piensa mucho en granjas, va a hacerse vegetariana. O vegana.

—Muy interesante —responde. Trata de quitarse de la cabeza su visión de miles de pollos, con lacitos* rosas y azules, y escuchar atentamente a Peña.

—El problema es que nos han robado el invento. Espionaje. Ahora lo tiene otra empresa de la competencia.

—¿Algún sospechoso? ¿Alguien del equipo, quizá? —pregunta Miguel.

—Quizá, pero no sabemos quién.

—Podemos ir a vuestros laboratorios. Así conocemos al equipo y las instalaciones. Y a los pollos...

A Lola no le apetece nada, pero han aceptado el caso. ¡Pollos en un laboratorio! Le parece horrible.

—Si te parece, ve tú, Miguel.

—Sí, claro.

—No está lejos, en un polígono industrial* de Guadalajara[4] —comenta Emilio Peña.

Cuando Lola se queda sola en su despacho, liberada del caso de los pollos, se ríe. "Aquí no hay asesinos en serie ni robos de diamantes millonarios —piensa—. Y no se gana mucho. ¡Qué poco *glamour* tiene a veces la vida de un detective en Madrid! El robo de tecnología para clasificar pollos... Eso no sale en las películas de detectives".

---

4. Guadalajara es una provincia limítrofe con Madrid donde hay mucha industria.

3
Margarita enamorada

—¿Qué tal con los huevos, Miguel? —pregunta Lola el miércoles.

Sara y Margarita los miran extrañadas.

—¿Huevos? —pregunta Sara.

—Sí, nuestro nuevo caso —dice Miguel—. Espionaje industrial. Pero parece que a Lola no le gustan mucho los pollos.

—Pero sí que te gusta la tortilla... —comenta Margarita.

—Sí, las tortillas me gustan todas: española, francesa...[5] Pero los pollos... —murmura Lola y, para cambiar de tema, se acerca a la mesa de Margarita. Le está leyendo algo a Sara con voz emocionada.

Margarita, está linda la mar,
y el viento
lleva esencia sutil de azahar;
yo siento
en el alma una alondra cantar;
tu acento.
Margarita, te voy a contar
un cuento.

---

5. En España, la tortilla de patatas, o tortilla española, no se cocina todos los días en casa, pero sí se puede encontrar a cualquier hora del día en bares y muchos restaurantes (como almuerzo, como plato principal, como tapa, en bocadillo, etc.). La tortilla francesa, hecha solamente con huevo, es una opción más fácil y rápida de preparar, y también es una opción en casi todos los bares y restaurantes.

Amor en línea

—Rubén Darío[6] —dice Lola.

—No, Adolfo. Me lo ha escrito él.

super well-known

—Eso es un poema superconocido de Rubén Darío. ¿Quién es "él"? —pregunta Lola.

—Él es... No sé... La alegría de vivir, la primavera, una nueva luz...

—Margarita, ¿tú también eres poeta ahora? —pregunta Lola irónicamente.

—Margarita tiene novio, mamá... Un novio virtual —interviene Sara.

—¿Y eso?

—He conocido a alguien por internet.

—Ah, ahora entiendo, el maquillaje*, las flores, "la vida es bella"...

—No te rías, Lola. Va en serio. Mi vida ahora tiene sentido —dice Margarita dramáticamente—. ¡Y he perdido cuatro kilos!

—¿Estás a dieta*?

—Cuando estás enamorada, no necesitas comer.

—Jo*, ¡pues tengo que enamorarme yo también! —dice Lola.

—No es mala idea, mamá.

—Ja, ja, ja... ¿Y dónde has conocido a Adolfo, el poeta?

—En Singler, un portal de citas*. En realidad, todavía no lo he conocido personalmente, pero sé que es un hombre increíble, el hombre de mi vida. Bueno, Tony fue el hombre de mi vida. Hasta ahora... Pero ya no, y hay que seguir adelante*.

Margarita se separó hace dos años de su pareja de toda la vida, Tony.

—¿Un portal de citas, dices? ¡Qué horror!

---

6. Rubén Darío, poeta, periodista y diplomático nicaragüense de principios del s. xx. Este poema es muy popular en el mundo hispano.

Amor en línea

—Mamá, por favor... ¡Todo el mundo los usa! ¿Quién no ha quedado alguna vez a través de un portal de citas?

—Pues yo, por ejemplo —dice Lola.

—Los de tu edad también entran, mamá. Quizá tú...

—Eso he leído, que ya no se liga* en los bares.

—Sí, también se liga en los bares. Pero es que es muy práctico ligar con el móvil desde el sofá.

—Claro, en internet puedes inventarte cómo eres. Yo puedo poner: "Atractiva, joven, alta y delgada, 38 años, detective...".

—Pues eres muy atractiva para tu edad, Lola —interviene Margarita—. Alta y delgada, no. Eso sí que no...

—Gracias, Margarita. Prefiero lo tradicional. Ligar tomando un *dry martini* en la barra del bar de un hotel de cinco estrellas. No le veo la gracia* a chatear con desconocidos. Los hombres mienten* en la realidad. No quiero saber cuánto mienten en uno de esos portales...

—Qué antigua, mamá.

—Sí, muy antigua, Sara. Pero tú, Margarita, ten cuidado. No sabes nada de ese tío.

Lola se pone a hablar con Miguel.

—¿Algo nuevo sobre los huevos y los pollos? —pregunta Lola.

Margarita pone los ojos en blanco y suspira. "Lola no entiende nada del amor. Adolfo no es de esos", piensa.

Son ya las once y cuarto. Lola tiene hambre.

—Bajo al bar a tomar algo —le dice a Margarita cuando pasa al lado de su mesa.

Piensa en el increíble bocata de tortilla española que se va a tomar en el bar de la esquina. La dieta, la semana que viene.

4
Margarita, te voy a contar un cuento

El jueves, cuando Lola entra en la oficina, Margarita y Sara están hablando en voz muy baja. Están un poco nerviosas.

—¡No, Margarita! Si lo haces, te vas a arrepentir —está diciendo Sara.

—¿Qué son esos secretitos? —pregunta Lola.

—Nada, nada —contesta Margarita.

Sara está muy seria. Mira a Margarita y a su madre, y, al final, se decide a hablar.

—Creo que Margarita está en un lío gordo*. Yo no lo veo claro, la verdad. No me gusta nada.

Margarita parece triste. Ya no es la feliz enamorada de hace unos días.

—Le ha pedido dinero —añade* Sara.

—¿Quién?

—El poeta.

—Típico. A ver, cuéntame.

—Vosotras no lo entendéis —dice Margarita con lágrimas en los ojos—. Adolfo tiene problemas. Y me necesita. Solo me tiene a mí...

—¿Qué tipo de problemas? —pregunta Lola.

—Adolfo está en el negocio inmobiliario. ¿Os lo he dicho? Compra y venta de casas de lujo.

—Sí, seguro... —dice Lola irónicamente.

—Ahora está en Milán, por negocios, y se lo han robado todo: la cartera, el ordenador, el móvil... Y tiene que pagar 3.000 euros urgentemente.

Amor en línea

Lola y Sara se miran. Ninguna de las dos se cree ni una palabra de esa historia.

—Si no los paga, pierde un negocio importante. Y además tiene que pagar el hotel de Milán. Y comprar el billete de vuelta. Yo tengo unos ahorros* y he pensado que... Bueno, que quiero ayudarlo.

—Es una estafa*. Seguro —dice Sara.

—Más claro que el agua* —opina Lola.

—¡No! Seguro que no. Yo confío en él. Mira...

Margarita les enseña una foto en la pantalla. Es una foto de un hombre de mediana edad*, sonriente, con el pelo canoso* muy bien cortado, bronceado* y elegante. Un hombre realmente guapo y con unos ojos azules espectaculares. Está sentado en un yate.

—¡Anda ya*! Esa foto seguro que es de un anuncio de perfume. Me juego mil euros* a que es una foto falsa. Margarita, este no es tu Adolfo ni en broma*. No hay hombres así. Ya sabes, como dice Rubén Darío: "Margarita, te voy a contar un cuento".

—¿Pero qué dices? No solo es guapo, es tan dulce... —suspira Margarita—. Ayer me escribió otro poema: "Margarita, cuando te veo, mi corazón...".

—¿... palpita*? —termina Lola.

—¿Cómo lo sabes?

—Porque rima con –ita, de Margarita.

—¿-Ita? Se irrita* —añade, irónicamente, Sara—. Mira, Margarita, déjame investigar un poco. Gustavo puede entrar en Singler.

Gustavo es un joven informático venezolano que trabaja en Lola Lago y asociados desde hace un par de años. Es un *crack** de la informática.

—No sé si es del todo legal, pero... —dice Lola.

—Mamá, por Dios, ¿desde cuándo te preocupas por si nuestros métodos son legales?

—Desde siempre —responde Lola ofendida—. La ley es la ley. Pero, en fin..., seguro que Gustavo puede encontrarlo en Singler.

—En realidad, en la agencia necesitamos un *hacker* —comenta Sara.

—Lo que faltaba* —dice Lola—. Cuando seas directora de la agencia...

—Yo no voy a ser detective, mamá.

—Ya lo eres. You alredy are.

—De eso nada —protesta Sara.

Margarita saca un kleenex del cajón y se limpia una lagrimita*. La vida hoy no le parece tan bella.

—Bueno, si vosotras lo veis así, adelante —dice, al fin, Margarita.

—¿Y por qué no nos hacemos también un perfil falso en el portal ese, Blinder, Kinder, Minder o...?

—Singler. Podemos hacer las dos cosas —dice Sara.

—Venga, a trabajar. Tú, Margarita, escríbele a Adolfo y dile que estás intentando conseguir el dinero. Hay que mantener la comunicación con ese tipo*.

Lola y Sara se ponen delante del ordenador. A Lola le parece divertido inventarse un perfil falso.

—¿Qué ponemos? ¿Lolita, 38 años, talla S, ojos verdes?

—Mamá, no es necesario exagerar tanto.

—¿Qué pasa? A mí me hace ilusión tener 38 otra vez...

5
¿Y quién es él?

El viernes ya ha habido muchos progresos. En el laboratorio de Avestec, sospechan del contable* de la empresa. Miguel, con la ayuda de Raquel, está buscando pruebas.

Y Lola ya tiene muchos posibles novios en Singler. Todos son señores mayores que cuelgan fotos con sus motos o haciendo deporte. Algunos junto al mar. A todos les gusta viajar y leer. La mayoría son calvos y con sobrepeso*. Pero Lola no contesta ninguno de los mensajes y no manda ningún corazoncito. No está buscando novio, solo busca a un delincuente que quiere estafar a Margarita.

Por fin, el sábado por la mañana, recibe un mensaje de... ¡Andrés! Pero es una foto de Adolfo, el nuevo amor de Margarita.

"¡Ha picado*! ¡Lo tenemos!", piensa Lola. "¿Pero por qué ha puesto otro nombre? ¿Qué está pasando?".

Inmediatamente, llama a su hija.

—Hola, Sara.

—Mamá, es muy temprano. Y ayer fui al teatro. ¿Hablamos luego?

—Ya. Perdona. Pero son las diez. Yo ya he desayunado, he dado un paseo, he leído la prensa...

—Vaaaaaale. Cuéntame, ¿qué pasa?

—Pues que he encontrado a Adolfo en Singler. Bueno, para mí se llama Andrés. Pero es el mismo, segurísimo. Es otra foto, pero es el mismo hombre: con el pelo blanco y los ojos azules. Y está sentado en el mismo yate.

—¿De verdad?

—Sí, sí... ¡Y me ha mandado un corazón!

—Pues escríbele ya, ¿no?

—¿Y qué digo? No sé muy bien cómo...

—De momento mándale un corazón.

—Ya lo he hecho.

—Pues espera y luego escríbele un mensaje.

—¿Y qué le digo?

—Mamá, tú eres la detective y sabes mentir para sacar información.

—Ya, pero siempre lo hago cara a cara*, en la vida real.

—Pues aprende a mentir en internet, que es más fácil.

—Voy a hablar con Gustavo. Tiene que investigar en Singler este nuevo perfil. Lo vamos a pillar.

—Tú intenta comunicarte con Adolfo o Andrés, o como se llame... Y más adelante queda con él.

—¿Una cita? ¿Una cita en persona?

—Sí, inténtalo al menos*. No va a querer, seguramente. ¡Seguro que no es tan guapo como el de la foto! Pero inténtalo. Una cita en un parque, al aire libre. Así, si va, lo podemos seguir.

—OK, vale. Lo intento.

—Por cierto, ¿sabes cómo está Margarita? ¿Has hablado con ella?

—La llamé anoche. Está triste. Ahora escribe poemas...

—Nooooo... ¡Lo que faltaba!

6
Me gustaría conocerte

Lola se pasa todo el sábado pegada* al ordenador. Un tal Solitario (67 años, funcionario jubilado, buena persona, divorciado) le ha mandado varios corazones. "Pobre Solitario, debe de estar muy solito...". Solitario no tiene aspecto de ser un estafador. Dice que es bajito, que su *hobby* es pescar y que se siente solo. En la foto, parece buena persona.

Lola le vuelve a enviar un corazoncito a Adolfo-Andrés. En su perfil dice que busca el amor, que es periodista y que le gusta la música y viajar.

Adolfo, de momento, no reacciona.

Lola mira su propia foto, una foto de hace 20 años. "¿Por qué no me contesta? ¡Estoy muy guapa en esta foto!". Es una foto de la boda de una amiga. Y Lola lleva un traje azul muy *sexy* y elegante, y un collar de perlas. "Esa foto tiene que funcionar", piensa Lola.

Finalmente el sábado por la noche aparece un aviso en el portal de contactos Singler: Lola lleva un traje azul muy *sexy* y elegante, y un collar de perlas. "Andrés te ha mandado un mensaje".

"¡Bien! ¡Ya lo tengo!", piensa Lola.

A partir de ese momento, Lola empieza a inventarse un *alter ego* para tener claro quién es Lolita y explicárselo a Adolfo-Andrés. Lolita, la falsa Lola, no se parece en nada a ella. Es como el doctor Jekyll y su amigo *mister* Hyde. A Lola le parece divertido.

Amor en línea

A Lola le gustan los callos, el cocido y los buenos chuletones[7]. Lolita, su yo imaginario, prefiere la cocina de autor, los restaurantes con estrellas Michelin y hacer muchos cursos de cocina. Pero, en realidad, la nevera de Lola casi siempre está bastante vacía y come demasiados bocadillos y pizzas. La verdadera Lola odia el deporte y, en cambio, Lolita tiene un entrenador personal en un club muy pijo* de la Castellana[8]. Lolita vive en el barrio de Salamanca[9], en un *loft*. El viejo piso de Lola, en cambio, necesita desde hace tiempo una mano de pintura* y es un tercer piso sin ascensor.

La idea es convencer a Adolfo-Andrés de que es una pija estupenda con mucho dinero. Y, también, hacerle creer otra idea clásica: "los ricos también lloran". Es rica y guapa, pero no ha encontrado el amor. Lolita va a ser una presa* ideal para Adolfo-Andrés.

A las once de la noche empiezan a chatear.

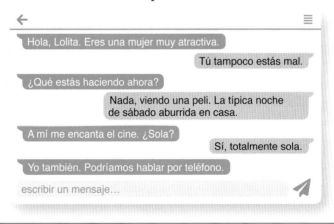

> Hola, Lolita. Eres una mujer muy atractiva.
>> Tú tampoco estás mal.
> ¿Qué estás haciendo ahora?
>> Nada, viendo una peli. La típica noche de sábado aburrida en casa.
> A mí me encanta el cine. ¿Sola?
>> Sí, totalmente sola.
> Yo también. Podríamos hablar por teléfono.

escribir un mensaje…

---

7. Los callos, el cocido y los chuletones son platos tradicionales españoles y sinónimo de comida pesada y poco saludable.

8. La Castellana es una larga avenida que cruza el centro de Madrid.

9. El barrio de Salamanca es uno de los barrios más elegantes y caros de Madrid. Allí se concentran muchas tiendas lujosas.

Lola empieza a encontrar divertido ese juego de hablar con un desconocido. Y de hacer teatro. Pero no sabe si darle el teléfono. Le parece peligroso. Mañana puede comprar un teléfono de prepago*. Será lo mejor, porque no sabe cómo actúa Adolfo. "¿Investiga a sus víctimas? ¿Puede descubrir que Lola no es Lolita?", se pregunta Lola.

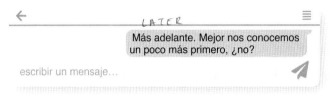

"¿Y si no vuelve a contactar? ¡No puedo perderlo!", piensa.

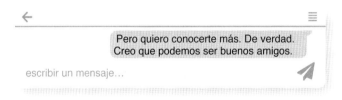

Adolfo-Andrés lo acepta. "Los cazadores* tienen paciencia", piensa Lola.

7
El nuevo caso, que no es un caso

El lunes Paco ha vuelto de Barcelona. Lola lo pone al día*.

—Estamos todos un poco preocupados con lo de Margarita.

—Cuéntame.

—Pues la pobre ha conocido a un tío* en internet.

—¿Y qué pasa?

—Creemos que es un estafador. Le ha pedido dinero.

—Un clásico.

—Sí, típico. Y ya sabes cómo es Margarita.

—Muy ingenua*.

—Sí, mucho. Y tiene ganas de enamorarse. Y ese Adolfo es muy hábil. Le manda poemas famosos y dice que son suyos.

—Bueno, eso de mandar poemas no demuestra nada...

—Ja, ja, ja... ¿Tú también lo haces?

Paco se sonroja*.

—Total, que tenemos un caso, pero no es un caso —dice Lola.

—¿Qué quieres decir?

—Que no vamos a cobrarle a Margarita, ¿no? Y no vamos muy bien de pasta* este año.

—Tenemos lo de los pollos. Es un buen caso. Y hoy ha llamado otro posible nuevo cliente, una compañía de seguros*. Una fábrica se ha quemado*. Creen que el incendio ha sido provocado* —explica Paco.

—Sí, cierto. Bueno, la cosa es que yo me he hecho una experta en la seducción por internet —dice Lola.

—Ja, ja, ja. ¿En serio? Pues a ver si conoces a alguien majo*.

—Qué manía tenéis todos con buscarme novio. Con lo bien que estoy yo sola —protesta Lola.

—¿Tú crees? En fin, ¿cuál es el plan? ¿Qué hago yo? —pregunta Paco.

—De momento, esperar. Gustavo está intentando localizar el lugar desde el que entra Adolfo en Singler.

—¿Entrar en Singler?

—Sí, el portal de citas ese.

—Sí, ya sé, ya sé...

—No me digas que también tú lo usas. Je, je... Seguro que recibes muchos corazones. O que mandas muchos.

—¡Qué va! —responde Paco. Pero se vuelve a sonrojar, pone cara de culpable* y cambia de tema—. ¿Y Gustavo puede hackear Singler?

—Parece que sí. Ya sabes que es un genio con los ordenadores. Y yo cada día aprendo más...

A Lola le parece que, si busca bien en Singler, va a encontrar a Paco también. Pero no dice nada. ¿Puede ser Paco un tal Marlowe que ha visto? Por la noche va a investigar.

8
Lo tenemos

Sara entra en el despacho y grita excitada.

—¡Lo tenemos! Venid todos. Reunión urgente.

Margarita coge su paquete de kleenex y todos se dirigen a la sala de reuniones.

A Lola le encanta ver a su hija dirigir.

Gustavo tiene por fin información importante.

—Adolfo se conecta desde Legazpi, cerca de Matadero[10]. Sabemos exactamente desde qué edificio, pero no el piso —explica Gustavo.

—¿Qué os parece si vigilamos el portal? —propone Lola—. El problema es que no sabemos qué aspecto tiene. Porque la foto es falsa, seguro.

—Sí, es demasiado guapo en la foto —acepta Margarita.

—Hacemos turnos. Empiezo yo —dice Lola—, que no me gusta trabajar de noche.

—Yo voy contigo, mamá.

—Yo, si queréis, voy por la tarde. Que ahora tengo otra reunión con los de los pollos —dice Miguel—. ¿Te vienes conmigo, Raquel?

—Vale. Perfecto —dice Raquel.

—¿Y yo? —pregunta Margarita.

—Tú mejor te quedas en la oficina. Te puede reconocer.

---

10. Legazpi es un barrio del viejo Madrid. Allí se encuentra el antiguo matadero de la ciudad, que se ha transformado en un macrocomplejo cultural.

—Bueno, no, creo que no. En Singler tengo una foto un poco antigua —dice Margarita, un poco avergonzada.

—Como todo el mundo —opina Paco.

—Vaya, sí que sabes... —comenta irónicamente Lola. Paco se vuelve a sonrojar.

—Pues a trabajar —dice Lola en su papel de jefa—. Carlos y Cristina se quedan contigo, Margarita. Si os necesitamos, os llamaremos.

—De acuerdo, jefa —dice Carlos.

—Sí, llámanos, Lola —contesta Cristina—. Me encanta vigilar* a la gente. Ya lo sabes.

Lola coge dos cascos de moto. Ella y Sara se van hacia Legazpi en la moto de Lola. Lola siempre ha tenido una Vespa. La de ahora es eléctrica porque es muy práctico para un detective cuando sale a perseguir a los malos. Es silenciosa.

9
Un hombre
muy normal

Diez minutos después, están frente a un edificio antiguo. No saben muy bien a quién vigilan. No es el de la foto. Eso, seguro. "¿A quién buscan? ¿Es joven o mayor? ¿Feo o guapo? ¿Alto o bajo? ¿Rubio o moreno?", se pregunta Lola.

Pero Lola confía en su intuición. Está segura de que si ve a Adolfo-Andrés, lo va a identificar.

En la planta baja hay un locutorio*, una tienda de ropa y un bar gallego[11], el Ría de Arousa. Del portal sale una señora mayor con un carrito de la compra* y, después, un jubilado con un perrito. Luego, entra una mamá joven con dos niños pequeños. Un rato después, un mensajero llega con un gran paquete de Amazon. Luego, una chica con cascos y chándal sale a correr. Un electricista*. Un mensajero con tres pizzas... Una casa de vecinos normal. Luego, durante una hora no pasa nada.

—¡Qué pesado es esto de vigilar! —comenta Sara.

—Paciencia, Sara, paciencia. Los detectives necesitamos mucha.

—Pues tú conmigo no tienes tanta.

—Esto es trabajo.

---

11. En toda España hay muchos bares y restaurantes gallegos de todas las categorías. Son famosos por su cocina de pescado y marisco.

—Tu trabajo, mamá. Esto no es lo mío... Yo no quiero ser detective. Ya lo sabes.

—Pues lo haces muy bien. Y a veces te gusta. Y te aseguro que para ganar un Goya[12] se necesita más paciencia.

Sara no responde porque en ese momento sale una persona que les llama la atención*. Un hombre muy normal. De unos 55 años. Es bajito y calvo. Entra en el locutorio.

—Puede ser él. Me lo dice mi intuición.

—Entremos en el locutorio —propone Sara.

Lola se dirige al* empleado que está en el mostrador*.

—¿Hacen fotocopias? —pregunta mientras empieza a buscar en el bolso a ver qué puede fotocopiar. Por suerte*, encuentra un artículo sobre la cría de los pollos, que recortó del periódico—. Diez fotocopias —le pide al empleado.

Mientras, Sara se acerca al ordenador frente al que está sentado el posible Adolfo-Andrés.

Ve que está navegando por internet, pero no puede ver qué está haciendo exactamente. Con el teléfono móvil le hace una foto disimuladamente*. "La verdad es que Sara tiene instinto de detective", piensa Lola. Un rato después, el sospechoso sale del locutorio. Lola recoge las fotocopias de los pollos y paga corriendo.

—Vamos a seguirlo —propone Sara.

Lola tira al contenedor del papel las fotocopias. "¿Por qué he hecho tantas?", se pregunta.

---

12. Los Premios Goya son los premios españoles más importantes de cine.

10
Aficionado a la poesía y a las porras

Siguen al hombre hasta el metro. Cogen la línea 3 y bajan en Callao[13]. De ahí se dirigen hacia la Gran Vía[14]. El sospechoso se compra unos calcetines. Entra en un bar y se toma un café con leche y unas porras[15]. Lola y Sara lo siguen a distancia. Las dos se han puesto gafas de sol. Al final, el hombre entra en Casa del Libro[16].

—¿La sección de poesía? —pregunta a un empleado.

Lola y Sara se miran. "¿Poesía? ¿Para mandar poemas a sus víctimas?", piensan.

Mientras el hombre hojea* libros de poesía, Lola y Sara simulan consultar libros en la sección de teatro, que está al lado.

Al rato, Adolfo paga en la caja* dos libros de poemas y sale a la Gran Vía. Unos segundos después, salen Lola y Sara.

Pero hay mucha gente en la calle y, de pronto, lo pierden.

—¿Dónde está?

—No sé, ni idea. Ha desaparecido.

—A lo mejor nos ha descubierto.

---

13. Callao es uno de los puntos más animados de la zona comercial del centro de Madrid. Hay grandes almacenes y muchas tiendas.

14. La Gran Vía es una avenida que cruza todo el centro antiguo de Madrid. Hay muchas tiendas, hoteles, teatros, etc.

15. Las porras y los churros son una masa frita que suele tomarse para desayunar en los bares.

16. Casa del Libro es una de las librerías más importantes de España.

Amor en línea

—No creo. Pero tenemos que volver a su casa. ¿Qué otra cosa podemos hacer? Y así recogemos la moto...

—Pues vamos.

PARLOR   SURF

—Además, quiero hablar con el empleado del locutorio. Seguro que nos puede dar información.

11
Un vecino
un poco raro

El empleado del locutorio se llama Karim.

Lola le pregunta dónde puede comprar un teléfono barato. Karim también vende teléfonos. Así, puede hablar más con Karim y sacarle información.

—Este de segunda mano está bien. Casi nuevo —le dice Karim.

Karim está aburrido y tiene ganas de charlar con esas dos mujeres que hoy ya han ido dos veces a la tienda. Además, Karim es un poco cotilla*. Mientras Sara baja la aplicación de Singler al móvil recién comprado, Lola le enseña la foto que le ha hecho Sara por la mañana a Adolfo-Andrés.

—Estoy buscando a este amigo mío. Creo que vive por aquí, pero no sé exactamente dónde. ¿Lo conoces?

—¿Amigo tuyo? ¿Seguro?

—Bueno, solo es un conocido...

Karim no cree a Lola. Pero como siente curiosidad* y Lola le ha caído bien*, le cuenta: ~~Tells her.~~

—Sí, lo conozco, pero no sé cómo se llama. Es un tío muy raro, tu "amigo". Vive aquí, en el mismo edificio.

—¿Sabes en qué piso? —le pregunta Lola.

—Ni idea. Solo sé que es un tío muy serio... Entra, se sienta allí en un ordenador, está un rato y se va. Algunos días viene varias veces. Pero nunca saluda. Y a mí me gusta hablar con los clientes. No me gusta la gente que no habla.

"¡Qué bien! A Karim le gusta observar a la gente y hablar. ¡Un informante* perfecto!". A Lola le gusta Karim.

—¿Y sabes con quién vive? ¿Y a qué se dedica?

—Vive con un amigo suyo. Ese sí que es muy amable. Se llama Andrés. Cuando tiene un problema con el móvil, lo ayudo. Además, es un hombre que viaja mucho. Es periodista, creo. A veces hablamos de mi país, de Pakistán. Dice que un día quiere ir.

—¿Andrés, has dicho que se llama? —pregunta Lola sorprendida.

—Sí, Andrés. El apellido no lo sé. ¿Por?

—Por nada, por nada. Entonces viven juntos, el raro, Adolfo, y el viajero simpático, Andrés. ¿Y no tienen ordenador o internet? —pregunta Lola.

—Pues no sé. El raro, no, parece que no... porque viene aquí cada día un rato. A veces dos y tres veces en un día, ya te lo he dicho.

—Gracias, Karim. Me has ayudado mucho.

—De nada. Oye, tú eres detective, ¿verdad?

—Mmmmm... —Lola duda—. Algo así.

—Si me necesitas... Yo conozco a todo el mundo en el barrio. A mí me encantaría ser detective.

Lola piensa que Karim puede ser un muy buen colaborador.

—Pues... ¿me puedes llamar si ves algo raro, Karim? —le dice dándole su tarjeta.

Lola y Sara salen del locutorio. Todavía les queda un rato. A las cuatro van a llegar Miguel y Raquel.

—Es él, el raro. Estoy segura —dice Lola—. Mi intuición nunca falla. Pero necesitamos pruebas.

12
Un estafador, pero muy simpático

El martes en la agencia, Margarita cuenta que Adolfo le ha vuelto a pedir ayuda. Teóricamente desde Italia. Seguramente desde Legazpi, desde el locutorio de Karim.

Todos los de la oficina le han prohibido a Margarita mandar ni un solo euro. Ella ha protestado, pero, en el fondo, sabe que tienen razón.

—A ver, Margarita. Tenemos ya mucha información sobre tu "querido" Adolfo. Está en Madrid, vive en Legazpi, no se llama Adolfo y, lo siento, pero es bajito y calvo —dice Lola.

—Está muy claro —añade Paco—. Es un caso típico. En los portales de citas es muy frecuente ese tipo de engaño*.

—No me digas eso, Paco. ¿No ves que me destrozas* el corazón? Voy a perder al segundo hombre de mi vida...

Margarita va perfeccionando sus capacidades dramáticas. Lola suspira.

En casa, por la noche, Lola espera un mensaje de Andrés para poder darle su nuevo número de teléfono. Ha encargado comida a un restaurante chino muy bueno que hay en su barrio, Casa Chen. Cuando Lola trabaja, necesita tener el estómago lleno. A las diez menos cinco llega el motorista con el pato Pekín y, justo en ese momento, suena el aviso de un mensaje nuevo. "No importa. Puede esperar. El pato Pekín es lo primero".

> ¿Puedes hablar?
> No dejo de pensar en ti.
>
> *(handwritten note: I can't stop thinking)*
>
> Yo también pienso en ti.
> Y esto de escribir es un rollo*.
> Te doy mi teléfono: 677432901
>
> Te llamo.
>
> escribir un mensaje...

Inmediatamente suena el móvil. Adolfo-Andrés tiene una voz bonita y parece simpático. Hablan bastante tiempo. De cine, de las últimas novelas que han leído, de viajes... Se ríen mucho. "Es un estafador encantador", piensa Lola.

Él le dice que quiere conocerla en persona. A Lola le parece extraño porque este tipo de estafas son siempre solo virtuales, pero acepta inmediatamente. *(handwritten: VIRTUAL)*

—¿Cuándo te va bien? —pregunta ella. *(handwritten: when is good)*

—Pasado mañana si quieres. Mañana tengo un día complicado.

"Mejor —piensa Lola—. Así tenemos un día más para investigar".

—Vale, a las dos y media en El Café del Río, ¿te parece? Y comemos algo... —propone Lola.

—Perfecto, está al lado de mi casa.

—¡No me digas —dice Lola aparentando* sorpresa.

—Sí, vivo al lado de Matadero, en Legazpi.

"Pues es un tipo muy interesante y divertido —piensa Lola mientras cuelga—. Y tiene una voz muy bonita, grave, como de locutor* de radio. ¡Pero es un estafador, un mentiroso y un ladrón*! Y no tiene corazón", sigue pensando. Prefiere no llamar a Sara. No sabe por qué, pero se siente un poco culpable y con contradicciones*.

"¿Por haber estado coqueteando* con un sospechoso?", se pregunta. "No, eso es parte del trabajo. Culpable porque me gusta el sospechoso, ese estafador tan simpático...".

13
Historial de navegación

Al día siguiente Sara, Lola y Gustavo, con todo su equipo informático, quedan en el locutorio de Karim. "Va a ser interesante investigar el historial de navegación de Adolfo-Andrés", piensa Gustavo. Karim está de acuerdo. Los está esperando muerto de curiosidad*.

—¿Qué estáis buscando? ¿Un asesino? Tengo derecho a* saberlo si os dejo mirar mis ordenadores, ¿no?

—No, no, tranquilo, Karim. No buscamos a un asesino. Eso lo investiga la policía.

Karim parece un poco decepcionado*.

"La gente ve muchas películas", piensa Lola.

—Buscamos a un estafador. Engaña a mujeres por internet, desde un portal de citas —dice Sara—. Y les pide dinero.

—Ah, vale. Pues lo vamos a coger.

Karim ya habla como parte del equipo.

—¿Creéis que es el vecino ese tan raro? —sigue diciendo Karim—. Vino anoche...

—Sí, eso pensamos.

—Estuvo en este ordenador hasta las once menos cuarto o así. Yo cerré a las once y él fue el último cliente —dice Karim.

Gustavo teclea* a toda velocidad*. Lola mira cómo lo hace. Cada día le gusta más la investigación informática.

—Bien, ¡lo tengo! Efectivamente, ha entrado muchas veces en Singler —explica Gustavo—. ¡Es un estafador en serie! Ha contactado varias veces con Laura, Esther, Yvonne, Estefanía, Raquel, Diana, Estrella... Con un montón de mujeres. Y con Margarita, claro.

—¡Qué tío! Es un peligro público... —comenta Sara.

—¿Y con Lolita no? Bueno, conmigo. Mira anoche... Estuvimos chateando.

—A ver... —Gustavo mira el historial—. No, contigo no.

—Qué raro, ¿no?

—A lo mejor fue desde otro ordenador.

—Mira la hora exacta —le pide Lola—. A ver...

Lola consulta en su libreta donde lo apunta todo. En eso es muy analógica.

—Yo chateé con él entre las diez y veinte y las diez y veinticinco. Y luego hablé con él hasta las... Bueno, bastante rato.

Lola no quiere confesar a su equipo que hablaron una hora y, mucho menos, que tiene la conversación grabada.

—No puede ser. A las diez y veinte estaba chateando con otra chama[17], una tal Yvonne —explica Gustavo.

—No entiendo nada —dice Lola.

Al salir le dan las gracias a Karim.

—Es un *crack* —dice Sara.

—¿Quién? ¿Adolfo-Andrés?

---

17. 'Chama' significa en el español coloquial de Venezuela 'chica'.

—No, mamá. Gustavo.

—Te gusta... Se nota.

—No digas tonterías*, mamá.

—Es un tío muy majo. Y muy listo. Solo digo eso.

14
Una terraza con vistas

Lola y Adolfo-Andrés han quedado en una terraza frente al río Manzanares[18], El Café del Río. Es un sitio muy bonito. Desde ahí se ve el *skyline* de Madrid, con el Palacio Real[19] y los parques que hay junto al río. La primavera ya ha llegado y hace muy buen tiempo. Lola se ha puesto muy guapa y se ha maquillado. Llega con su moto y se sienta a esperar. Está un poco nerviosa. En su perfil de Singler tiene algunos años y algunos kilos menos. "Buscas a un estafador —se dice a sí misma para tranquilizarse—, no un ligue".

Sara y sus dos socios, Paco y Miguel, se sientan en una mesa cerca. En otra mesa, un poco más alejada, están los ayudantes, Raquel, Carlos y Cristina. A Margarita le han prohibido venir.

A los cinco minutos, aparece un hombre de mediana edad, elegante y con el pelo canoso. Guapo y con los ojos azules. Es Andrés. ¡La foto de Singler no es una foto falsa! Saluda a Lola sonriente y le da dos besos[20]. A Lola le tiemblan las piernas*.

Luego, todo pasa muy rápido.

De repente, Margarita, que no ha hecho caso de las órdenes y los ha seguido, entra en la terraza y busca entre los clientes. Y descubre a Lola y a Andrés-Adolfo en una mesa.

---

18. El río Manzanares bordea el centro de Madrid. En los últimos años se ha recuperado como un espacio de paseo y ocio.

19. El Palacio Real, construido en el siglo XVIII, es uno de los monumentos más importantes de Madrid.

20. En España es muy normal saludarse con dos besos, incluso en las presentaciones.

15
No es Adolfo

Margarita se acerca y da un golpe* con la mano encima de la mesa. Las copas saltan y una botella se cae al suelo. Está furiosa* y grita.

—¿Qué haces aquí con Lola, Adolfo? No estás en Italia, veo... En Milán, solo y sin dinero... ¡Menudo sinvergüenza*! No tienes corazón...

Todos los clientes los miran. Lola intenta calmarla.

—Perdón, ¿te conozco? —pregunta Andrés desconcertado*.

—Sí, me conoces, y muy bien. Margarita, tu Margarita, tu amor, ¡vaya cuento me has contado! ¡Me has estado engañando! Eres un...

El guapo de ojos azules solo puede decir:

—Lo siento, creo que me confundes, yo no me llamo Adolfo. Me llamo Andrés y he quedado aquí con Lolita. ¿Qué está pasando? Lolita, ¿tú conoces a esta chica...?

Paco, Miguel y Sara se acercan a la mesa. Intentan parar a Margarita, que empieza a darle golpes con el bolso a Andrés. Cuando ven eso, Cristina, Carlos y Raquel van rápidamente a ayudar a sus compañeros.

Al final, entre todos, consiguen calmarla. Margarita saca del bolso su eterno paquete de pañuelos.

—Una tila²¹, por favor —le pide Lola al camarero que, también, se ha acercado a ver qué pasa.

---

21. La tila es una infusión que, en España, mucha gente toma para tranquilizarse cuando está nerviosa.

Amor en línea

—Vamos a tranquilizarnos todos —interviene Paco, que es muy bueno negociando—. Andrés, sabemos que estás en Singler y que intentas estafar a las mujeres que ligan contigo.

—Tenemos pruebas —dice Miguel—. Te hemos descubierto, Andrés o Adolfo, da igual... Y sabemos quién es tu socio. Y desde dónde os conectáis.

—No es a mí a quien buscáis. Creo que puedo explicarlo todo. Adolfo no es mi socio.

16
Adolfo, el amigo raro

Andrés, el guapo, se llama realmente Andrés. Les enseña su DNI. Andrés Cano. Vive en Legazpi y es periodista.

Sara le enseña la foto de Adolfo, el bajito y calvo, que se conecta todos los días desde el locutorio de Karim.

—Ahoooora... Ahora lo entiendo todo. Es Adolfo, mi amigo Adolfo.

—¿Quién es Adolfo?

—Adolfo está viviendo conmigo desde hace unos meses. Es un antiguo compañero de la universidad. Hemos estado muchos años sin vernos. Más de treinta años sin contacto. Pero en noviembre me llamó. Tenía problemas de dinero. Y decidí dejarle vivir en mi casa un tiempo.

—¿Has observado algo raro en estos meses? —pregunta Paco.

—Sí, la verdad es que sí, hace cosas raras, sí. Sale y entra de casa a horas extrañas, pero no sé a dónde va. Y encontré en su habitación varias fotos mías. Ahora entiendo para qué las quiere...

—Vamos a tu casa, a ver si lo encontramos —sugiere Sara.

—Y lo denunciamos... —sugiere Margarita.

—Dejadme a mí primero, por favor. Voy a hablar con él. Esto no puede seguir, desde luego —dice Andrés—. Pero es mi amigo... ¿Creéis que puede ir a la cárcel*? —pregunta Andrés.

—Depende. Depende de si ha cometido algún delito. En nuestro caso, no hay dinero, no hay violencia... Ha usado un nombre falso. Y eso en internet es normal —dice Miguel.

—Totalmente normal —sigue Paco.

Margarita, que está ya más tranquila, le dice a Lola bajito:

—Es guapo, ¿no te parece? Como en las fotos...

—Sí, pero, Margarita, recuerda que este no es Adolfo, ¿eh? Es Andrés.

—¿Tienes celos*, mamá? —pregunta Sara entre risas.

—No digas tonterías.

17
La vida es bella, quizás

Han pasado unos días. Parece ser que el falso Andrés, o sea, Adolfo, no ha llegado a estafar nunca a ninguna mujer. Ha prometido no entrar más en Singler y en los próximos días se muda* a un apartamento en Antón Martín²². Su viejo amigo Andrés ha hablado muy seriamente con él y lo está ayudando a encontrar un trabajo.

Terminado el "caso Margarita", Lola ha hablado varias veces con Andrés y hoy domingo, una semana después, han quedado otra vez para tomar el aperitivo. Y a lo mejor luego van a comer y al cine. "Y... ¿quién sabe?", piensa Lola.

Margarita está mejor. La ha llamado un viejo amigo de la infancia. Y han salido. Y vuelve a haber flores en su mesa.

Es primavera y Lola se siente feliz. "A lo mejor, Margarita tiene razón. La vida es, a veces, bastante bella", piensa mientras elige qué ropa ponerse.

Sara llega a casa de su madre a la una. Viene a buscar algunas cosas suyas que todavía tiene allí.

—Mamá, ¿sabes dónde está mi chaqueta de cuero roja? No la encuentro.

—Ni idea. ¿Has mirado en el armario de tu cuarto?

---

22. La zona de Antón Martín es una de las más tradicionales del Madrid antiguo. Actualmente es un barrio de moda.

—Oye, mamá, ¿a dónde vas tan guapa? Te has maquillado... ¿Has quedado con alguien?

Lola no se maquilla casi nunca. Solo cuando es necesario para un caso o cuando queda con alguien especial...

—¿Guapa, yo? No sé... He quedado con una amiga.

Sara sale de la habitación riendo.

—¿Una amiga? —murmura mientras sospecha quién tiene su chaqueta de cuero roja.

¿LO HAS ENTENDIDO BIEN?

Capítulo 1

1. Responde a las preguntas con la información del capítulo 1.

1. ¿En qué trabaja Lola?

Es detective.

2. ¿Cuánto tiempo hace que existe la agencia?

30 años

3. ¿Cómo se llaman sus compañeros de trabajo?

MAGARITA, PACO, MIGUEL, RACHEL, CARLOS CRISTINA

4. ¿Quién es Sara?

HIJA DE LOLA

5. ¿Qué ha hecho Lola el fin de semana?

MADRID D
COCINADO, CAPITULOS SERIO DE NETFIX

6. ¿Quién ha llegado primero a la agencia este lunes?

MARGARETA

7. ¿Cómo está hoy Margarita?

CONTESTA

8. ¿Con quién se va a reunir Lola a las diez?

MIGUEL

2. ¿A qué personaje o personajes corresponde cada dato?

	Lola	Sara	Paco	Miguel	Margarita
1. Ha pasado un buen fin de semana.	☒	☐	☐	☐	☐
2. Es la hija de Lola.	☐	☐	☐	☐	☐
3. Ha llegado la primera a la oficina.	☐	☐	☐	☐	☐
4. Quiere ser actriz.	☐	☐	☐	☐	☐
5. No está en Madrid.	☐	☐	☐	☐	☐
6. Es muy enamoradizo.	☐	☐	☐	☐	☐
7. Es la secretaria de la agencia.	☐	☐	☐	☐	☐
8. Le gustan las series.	☐	☐	☐	☐	☐
9. Hace mucho que trabajan con Lola.	☐	☐	☐	☐	☐
10. Hoy lunes van a tener una reunión con un nuevo cliente.	☐	☐	☐	☐	☐

Capítulo 2

1. En la agencia tienen un nuevo caso. ¿Cuál es el mejor resumen?

a. El nuevo cliente de la agencia de detectives es un laboratorio del sector de la alimentación. Su problema es que han copiado a otra empresa una nueva técnica para clasificar pollos. A Lola no le gusta mucho el tema, pero van a trabajar en el caso.

b. El nuevo cliente de la agencia de detectives es una granja de pollos. Quieren patentar una nueva técnica de reproducción. Como a Lola no le gusta el tema, no van a trabajar en el caso.

c. El nuevo cliente de la agencia de detectives es una empresa del sector de la alimentación. Su problema es que otra empresa les ha copiado una nueva técnica para clasificar pollos. A Lola no le gusta mucho el caso, pero tienen que aceptarlo.

2. ¿Dónde se da esta información en el capítulo? Anota las frases en las que lo has encontrado.

1. En Avestec han creado una nueva tecnología para las granjas de pollos.

   El año pasado patentamos una técnica revolucionaria para sexar pollos.

2. El nuevo caso es un caso de espionaje industrial.

   ES UN CASO MUY CURIOSO

3. Separar pollitos hembras y machos es un trabajo muy especializado.

   NECISTAN TRES AÑOS DE FORMACION

4. A Lola no le interesa mucho el nuevo caso.

   PERO HA N ACEPIADO EL ESO

5. En la reunión se propone una cita con el nuevo cliente.

   A EN LAS OXICINAS DEL CLIENT

6. El trabajo en la agencia no es como el de las agencias de la ficción.

   LAS COSAS SOBRE CLASIFICAR LOS POLLOS

Capítulo 3

1. Marca si las afirmaciones son verdaderas (V) o falsas (F).

	V	F
1. Margarita ha conocido a alguien en un bar.	☐	☒
2. Margarita está completamente enamorada.	☒	☐
3. Adolfo le manda poemas de amor que él mismo ha escrito.	☐	☒
4. Margarita ha adelgazado varios kilos.	☒	☐
5. Lola es alta y delgada, y hace mucho deporte.	☐	☒
6. A Sara le parece normal ligar por internet.	☒	☐
7. Lola desconfía de las relaciones que se crean en los portales de citas.	☒	☐

2. ¿Quién dice estas cosas expresadas de otra forma? ¿Dónde? Anota las frases en las que lo has encontrado.

1. "Él me hace muy feliz".

Margarita. . . . .

Él es... No sé...: La alegría de vivir, la primavera, una nueva luz...

2. "Aún no nos hemos visto cara a cara". *LOCA*

. . . . . . *DONDE HAS CONOCIDO A ALFONSO.* . . . . . .

3. "Es una persona fantástica". *MARGARITA*

. . . . *UN HOMBRE* . . . .

4. "Lola es muy tradicional. Está pasada de moda". *MARGARITA*

. . . . . . *CARA HIJA* . . . .

5. "En internet la gente dice mentiras". *LOLA*

. . . . *PUEDS INVENTARTE COMO ERES* . . . .

6. "Tienes que ser prudente porque no conoces a ese hombre". *LOLA*

. . . . *TEN CUIDADO. NO SABES NADA.* . . . . . .

Capítulo 4

1. Marca si las afirmaciones son verdaderas (V) o falsas (F).

	V	F
1. Sara piensa que Margarita tiene un problema.	☒	☐
2. Adolfo le ha pedido dinero a Margarita, pero ella no tiene ahorros.	☐	☒
3. Sara y Lola creen que Adolfo quiere estafar a Margarita.	☒	☐
4. En la foto, Adolfo es un hombre de mediana edad, con el pelo canoso y muy blanco de piel.	☐	☒
5. Sara piensa que Gustavo, el informático, puede entrar en el portal de citas para investigar.	☒	☐
6. Lola va a crear un perfil falso en el portal de citas para pillar a Adolfo.	☒	☐
7. Lola pone sus datos reales en el perfil de Singler.	☐	☒

CHEAT

CATCH

CORRECT

2. Corrige las oraciones falsas de la actividad anterior.

. . . .

. . . .

. . . .

Capítulo 5

1. Elige la respuesta correcta para cada pregunta.

1. ¿Quién cree Miguel que ha robado el invento de Avestec?
   a. El señor Peña.
   b. La competencia.
   c. El responsable de la contabilidad de Avestec.

2. Antes del viernes Lola recibe, en su perfil falso de Singler,...
   a. pocos mensajes.
   b. un mensaje.
   c. muchos mensajes.

3. ¿Por qué Lola llama a Sara el sábado a las diez de la mañana?
   a. Porque han quedado para ir a pasear.
   b. Porque Adolfo le ha mandado un corazón por Singler.
   c. Porque quiere saber cómo le fue el teatro.

4. Lola ha recibido un mensaje de...
   a. Adolfo, el novio virtual de Margarita.
   b. un hombre que se llama Andrés, pero que es igual que Adolfo.
   c. Adolfo y de Andrés.

2. ¿Dónde se da esta información en el capítulo? Anota las frases en las que lo has encontrado.

1. Muchos hombres han contactado con Lola en Singler.

Lola ya tiene muchos posibles novios en Singler.

2. Muchos de los hombres que escriben a Lola no tienen pelo y son gorditos.

. . . .

3. Lola quiere encontrar al estafador que quiere engañar a Margarita.

SCAM

. . . .

4. Adolfo ha caído en la trampa y ya lo han localizado.

HAVE ALREADY

. . . .

5. Los detectives están acostumbrados a no decir la verdad cuando investigan.

. . . .

6. El sospechoso ha contactado con Lola, pero con otro nombre.

. . . .

TAKE/CATCH

7. Lola cree que van a coger al sospechoso.

. . . .

Capítulo 6

1. **¿A quién se refieren estos datos, a Lola o a Lolita? Escribe cada uno en el recuadro correspondiente.**

~~Le gustan los callos.~~   Odia el deporte. ①

Le gustan los restaurantes con estrellas Michelin. ②

Le gustan el cocido y los chuletones. ③

④ Le gusta la cocina de autor.   Tiene mucho dinero. ⑤

⑥ Come demasiados bocadillos.   Vive en un *loft*. ⑦

⑧ Le gusta hacer cursos de cocina.   Hace deporte. ⑨

⑩ Su casa necesita una mano de pintura.

Lola	Lolita, el falso perfil de Lola
Le gustan los callos. odia el deporte ① ⑥ ⑩ ③	Le gusta la ② ④ ⑤ ⑦ ⑨

63

2. ¿Dónde se da esta información en el capítulo? Anota las frases en las que lo has encontrado.

1. Lola está sorprendida de no recibir respuesta de Andrés porque ha colgado una foto en la que está muy guapa.

¿Por qué no me contesta? ¡Estoy muy guapa en esta foto!

2. Un señor que escribe a Lola parece necesitar compañía y no ser mala persona.

(24) botón)

3. Lola se inventa un personaje muy diferente a ella misma.

4. Todavía no quiere hablar por teléfono con Andrés.

3. Completa los huecos con la palabra correcta.

estupenda   periodista   de pintura   personal

de prepago   divertido   ~~estafador~~

a. Solitario no parece un …*estafador*…
b. En el perfil de Andrés dice que él es …*PERIODISTA*…
c. Lolita tiene un entrenador …*PERSONAL*…
d. Lola tendría que darle una mano *DE PINTURA* …a su piso.
e. Lola tiene que convencer a Andrés de que es una pija…*mujer*… *ES TUPENDA*.
f. Lola necesita un teléfono …*DE PREPAGO*

Capítulo 7

1. Clasifica en el cuadro estos hechos del capítulo y exprésalos en una frase.

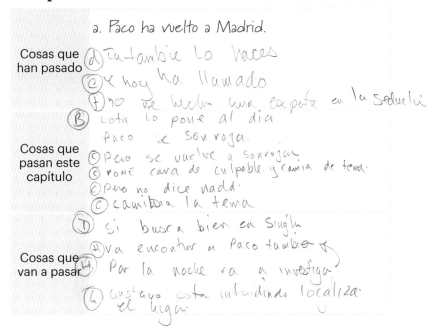

a. Paco ha vuelto a Madrid.

Cosas que han pasado
(d) Tu tambie lo haces
(e) Y hoy ha llamado
(f) no me hecho una excepto en la seduci

Cosas que pasan este capítulo
(B) Lota lo pone al dia
Paco se sonroja.
(C) Pero se vuelve a sonrojar
(C) pone cara de culpable. y cambia de tema.
(C) pero no dice nada.
(C) cambia la tema

Cosas que van a pasar
(D) Si busca bien en Singlr
(H) va encontrar a Paco tambie
(E) Por la noche va a investigar
(L) Gustavo esta intendindo localiza el lugar

a. Paco - volver a Madrid
b. Lola - informar a Paco de la situación
c. Paco - no querer hablar de Singler
d. Lola - sospechar que Paco está en Singler
e. Un nuevo cliente - llamar a la agencia
f. Lola - acostumbrarse a usar un portal de citas
g. Gustavo - hackear Singler
h. Lola - buscar a Paco en Singler

2. Busca en el capítulo palabras o expresiones que
tengan un significado similar a las siguientes.

SEND

regresar	inocente	enviar
volver	INGENUA	PEDIDO (ORDER)

ponerse colorado/a	ser muy bueno en...	dinero
BLUSH SON ROJA	ES UN GENIO CON [LOS COMPUTADORES]	PASTA

incendiarse SET FIRE		
PROVACADO		

Capítulo 8

1. ¿Dónde se da esta información en el capítulo? Anota las frases en las que lo has encontrado.

1. Gustavo ha descubierto desde dónde se conecta Adolfo.

Adolfo se conecta desde Legazpi, cerca de Matadero.

2. No saben cómo es Andrés físicamente.

PORQUE LA FOTO ES FALSA

3. La foto que ha puesto Margarita en su perfil es una foto vieja.

EN SINGLAR TENGO UNA FOTO UN POCO ANTIGUA

4. Lola y Sara van a vigilar las primeras.

" EMPIEZO YO - DICE LOLA - QUE ME NO
- LOLA Y SARA SE VAN HACIA LEGAZPI

2. Relaciona los elementos de las dos columnas.

1. Adolfo no es el de la foto
2. Lola va a hacer el primer turno de vigilancia
3. Miguel va a vigilar por la tarde
4. Margarita no puede ir a vigilar a Andrés
5. Lola piensa que Paco está en Singler
6. Tiene una moto eléctrica

a. porque tiene una reunión por la mañana.
b. porque es demasiado guapo.
c. porque es práctica para perseguir a gente.
d. porque no le gusta trabajar de noche.
e. porque se sonroja cuando hablan de ello.
f. porque la puede reconocer.

Capítulo 9

1. Haz una lista de las personas que entran y salen del edificio que vigilan Lola y Sara.

Una señora mayor con un carrito de la compra,...

Un jubilado con un perrito

una mama jóven con dos niños pequeñes

un mesajajero con un gran paquete de Amazon.

una chica con cascos y chándal sale a correr

un electicista

un mesajaro con tres pizzas

2. Marca si las afirmaciones son verdaderas (V) o falsas (F).

	V	F
a. Lola y Sara vigilan el edificio más de una hora.	☒	☐
b. Lola y Sara saben que el hombre que vigilan es bajito.	☐	☒
c. El edificio que vigilan es un edificio muy especial.	☐	☒
d. Lola piensa que los detectives tienen que tener paciencia.	☒	☐
e. Lola confía en su intuición.	☒	☐
f. Lola necesita urgentemente unas fotocopias.	☐	☒
g. Lola piensa que su hija puede ser una buena detective.	☒	☐

Capítulo 10

1. **¿Qué hace el sospechoso en el centro de Madrid? Resúmelo.**

cogió
COGEN LA LINEA 3

El sospechoso... *cocino un*

compró tos calcitias

tomó

ente uu bar

entre uu casa de libro

pagar a lu cajo dos libros de portmeas
salir el la Grambu

2. **¿Por qué crees que...**

1. Sara y Lola toman el metro?
2. Sara y Lola llevan gafas de sol?
3. tienen que volver a la casa del sospechoso?
4. el sospechoso entra en una librería?
5. Lola y Sara simulan hojear libros?
   BROWSE

a. Para buscar poemas.
b. Para recoger la moto.
c. Para seguir al sospechoso.
d. Para no ser reconocidas.
e. Para poder verlo desde cerca.

Capítulo 11

1. Marca si las afirmaciones son verdaderas (V) o falsas (F).

	V	F
1. Lola compra un teléfono nuevo en el locutorio.	☐	☒
2. Lola le dice a Karim que Adolfo es su amigo.	☒	☐
3. Karim no cree lo que le dice Lola.	☒	☐
4. Karim piensa que Adolfo es muy simpático.	☐	☒
5. Adolfo vive con un amigo de Karim.	☐	☒
6. A Karim le gusta hablar de su país con Andrés.	☒	☐

2. ¿A qué personaje corresponde cada información?

	Karim	Andrés	Adolfo
a. Viaja mucho.	☐	☒	☐
b. Va cada día un rato al locutorio.	☐	☐	☐
c. Trabaja en el locutorio.	☒	☐	☐
d. No habla.	☐	☐	☒
e. Es de Pakistán.	☒	☐	☐
f. Quiere visitar Pakistán.	☐	☒	☐
g. Vive con Andrés.	☐	☐	☒
h. Conoce a mucha gente de su calle.	☒	☐	☐

Soluciones disponibles en **difusion.com/descargas-amorenlinea**

Capítulo 12

**1. ¿Dónde se da esta información en el capítulo?
Anota las frases en las que lo has encontrado.**

1. Margarita cree que no debe mandar dinero a Adolfo.

Todos los de la oficina le han prohibido a Margarita mandar ni un solo euro. Ella ha protestado, pero, en el fondo, sabe que tienen razón.

2. Lola no puede trabajar si tiene hambre.

3. Lola y Adolfo-Andrés hablan por teléfono.

4. Lola y Adolfo-Andrés quedan para comer.

5. Lola no quiere confesar que el sospechoso le parece simpático.

2. Une las frases según la información del capítulo.

1. A Margarita no le dejan sus compañeros

2. Margarita confía todavía un poco en Adolfo, pero

3. Todos piensan que Adolfo

4. Lola pide comida porque

5. Lola y el sospechoso quedan

6. Lola tiene contradicciones porque

7. Cuando habla con él, a Lola le parece que

a. lo pasa bien hablando con Adolfo-Andrés.

b. vive en Madrid y no es el de la foto de Singler.

c. enviar dinero a Adolfo.

d. en un restaurante para comer cerca de la casa de él.

e. ya no está del todo convencida.

f. no puede trabajar con hambre.

g. el sospechoso es agradable e interesante.

Capítulo 13

1. Aquí tienes un resumen del capítulo, pero hay tres detalles que son falsos. Subráyalos.

Lola, Gustavo y Sara van a la tienda de Karim para ver qué webs y portales de internet ha visitado Adolfo. Karim está muy interesado en el caso y le explican que están buscando un asesino. Él les cuenta que el vecino raro estuvo por la mañana. Gustavo consigue ver su historial de navegación y ve que contactó con dos mujeres. Lo raro es que no aparece el chat con Lola. A esa hora Adolfo estaba chateando con otra persona.

2. ¿A quién se refiere cada afirmación? Márcalo.

	Gustavo	Karim	Lola	Sara
a. Admira mucho a Gustavo.	☐	☐	☐	☒
b. Reconstruye el historial de navegación del sospechoso.	☐	☐	☐	☐
c. Quiere enterarse de los detalles del caso.	☐	☐	☐	☐
d. No cuenta a su equipo que habló mucho tiempo con Adolfo-Andrés.	☐	☐	☐	☐
e. Cree que a Sara le gusta Gustavo.	☐	☐	☐	☐
f. Se está aficionando a la informática.	☐	☐	☐	☐
g. Le gustaría dedicarse a la investigación privada.	☐	☐	☐	☐
h. Explica cosas muy útiles sobre el sospechoso.	☐	☐	☐	☐

Capítulo 14

1. ¿Cuál de estas descripciones encaja más con la apariencia de Andrés?

a. Andrés es un hombre adulto, de mediana edad. Tiene un aspecto elegante y viste muy bien. El pelo lo lleva perfectamente cortado y tiene algunas canas. Tiene los ojos claros y siempre sonríe mucho.

b. Andrés es un hombre adulto, pero aún muy joven. Tiene un aspecto informal y sencillo. Lleva el pelo un poco largo y es muy rubio. Tiene los ojos muy oscuros, casi negros, y siempre está feliz.

2. Busca en este capítulo de la novela la información para completar estas afirmaciones.

a. Lola y Andrés han quedado en un lugar desde el que *se ve el "skyline" de Madrid.*

b. Margarita no puede ir porque ....
....

c. El hombre que llega a la cita es ....
....

d. Margarita entra en el bar y ....
....

Capítulo 15

1. ¿A quién se refiere cada afirmación? Márcalo.

	Lola	Sara	Andrés	Margarita
a. Le da golpes a Andrés con el bolso.	☐	☐	☐	☒
b. Ayuda a Paco y a Miguel a calmar a Margarita.	☐	☐	☐	☐
c. Está muy nerviosa por la cita.	☐	☐	☐	☐
d. Comprende lo que está pasando e intenta explicarlo todo.	☐	☐	☐	☐
e. Está muy enfadada.	☐	☐	☐	☐
f. Está muy sorprendido.	☐	☐	☐	☐

2. Completa con palabras que aparecen en este capítulo.

1. Margarita está muy enfadada y Lola intenta ..*calmarla*....
2. Margarita le grita a Andrés que la ha estado.................
3. El hombre le dice a Margarita que lo está...................
   con otra persona y que no se llama Adolfo.
4. Margarita está tan furiosa que empieza a...................
   con el bolso al hombre.
5. El camarero...................a la mesa a ver qué pasa y
   Lola le pide una infusión tranquilizante.
6. Paco le cuenta lo que saben y que piensan que quiere
   ....a las chicas con las que contacta.

Capítulo 16

1. Elige la opción correcta.

1. ¿Desde cuándo viven juntos Andrés y Adolfo?
   a. Desde hace más de veinte años.
   b. Desde hace unos meses.
   c. Desde siempre.

2. Andrés y Adolfo...
   a. siempre han mantenido la relación.
   b. han estado muchos años sin verse.
   c. hace un año se volvieron a poner en contacto.

3. Andrés ha ayudado a su amigo Adolfo...
   a. siempre.
   b. los últimos meses porque no tenía dinero.
   c. los últimos años porque tenía problemas.

4. Andrés quiere solucionar el problema...
   a. llamando a la policía.
   b. hablando con su amigo.
   c. enviándolo a la cárcel.

5. ¿Qué ha encontrado Andrés en la habitación de Adolfo?
   a. Fotos suyas.
   b. La contraseña de su perfil de Singler.
   c. Los poemas que le manda a Margarita.

2. ¿Qué sabes, después de leer el capítulo, sobre...?

Andrés
Se llama Andrés Cano...

Adolfo

Los dos

Capítulo 17

1. ¿Qué les ha pasado los últimos días a estos personajes?

Adolfo	Andrés	Lola	Margarita
Ha prometido no entrar más en Singler y...			

2. ¿Termina bien la historia? ¿Por qué? Elige fragmentos donde se cuentan cosas buenas que han pasado.

....

....

....

....

....

....

Amor en línea Glosario

ESPAÑOL	INGLÉS	FRANCÉS	ALEMÁN	NEERLANDÉS
1 ¿La vida es bella?				
llevar (una empresa)	to run (a company)	gérer (une entreprise)	(ein Unternehmen) führen	(een bedrijf) leiden
murmurar	to mutter	murmurer	murmeln	mompelen

2 Pollitos hembras y pollitos machos

ESPAÑOL	INGLÉS	FRANCÉS	ALEMÁN	NEERLANDÉS
patentar	to patent	breveter	patentieren	patenteren
sexar	to determine the sex of	déterminer le sexe	Geschlecht bestimmen	Het bepalen van de sekse
con la boca abierta	astonished	bouche bée	mit offenem Mund	met open mond
lacito (lazo pequeño)	little bow	nœuds	Schleifchen	lusje
polígono industrial	industrial estate	zone industrielle	Industriegebiet	industrieterrein

3 Margarita enamorada

ESPAÑOL	INGLÉS	FRANCÉS	ALEMÁN	NEERLANDÉS
maquillaje	makeup	maquillage	Make-Up	make-up
estar a dieta	to be on a diet	suivre un régime	auf Diät sein	op dieet zijn
jo (interjección)	oh	zut !	meine Güte	Joh
portal de citas	dating site	site de rencontres	Dating-Portal	datingsite
seguir (i) adelante	to push on	aller de l'avant	das Leben geht weiter	verder gaan
ligar	to pull, to hook up	draguer	flirten	flirten
no verle la gracia a algo	to not see what is so fun about [sth]	ne pas voir l'intérêt (de qqch)	nichts daran finden	de lol niet inzien van iets
mentir (ie)	to lie	mentir	lügen	liegen

ESPAÑOL	INGLÉS	FRANCÉS	ALEMÁN	NEERLANDÉS

4 Margarita, te voy a contar un cuento

ESPAÑOL	INGLÉS	FRANCÉS	ALEMÁN	NEERLANDÉS
estar en un lío gordo	to be in a right mess	être dans de beaux draps	in einem Schlamassel stecken	in de problemen zitten
añadir	to add	ajouter	hinzufügen	toevoegen
ahorros	savings	économies	Ersparnisse	spaargeld
estafa	scam	arnaque	Betrug	oplichting
más claro que el agua	as clear as day	clair comme de l'eau de roche	klar wie Kloßbrühe	zonneklaar
de mediana edad	middle-aged	d'âge moyen	mittleres Alter	van middelbare leeftijd
pelo canoso	grey-haired	cheveux poivre et sel	graue Haare	grijsharig
bronceado	tanned	bronzé, e	gebräunt	gebruind
¡Anda ya!	come off it!	Arrête !	ach was	houd toch op
jugarse mil euros (a algo)	to bet a thousand euros (on sth)	parier mille euros (que)	eine Tausend Euro wetten	duizend euro inzetten (op iets)
ni en broma	not on your life	aucune chance	nicht im Traum	absoluut niet
palpitar	to beat	palpiter	schlagen	kloppen
irritarse	to get irritated	se fâcher	sich ärgern	zich irriteren
ser un *crack* (de algo)	to be a whizz (at sth)	être un génie (de qqch)	ein Crack (in etwas) sein	Een crack zijn (in iets)
Lo que faltaba	that's all we need (sarcastic)	Il ne manquait plus que ça	Das hat mir gerade noch gefehlt	Dat ontbrak er nog aan
lagrimita	little tear	petite larme	Tränchen	traantje
tipo	guy, bloke	gars	Typ	vent

5 ¿Y quién es él?

ESPAÑOL	INGLÉS	FRANCÉS	ALEMÁN	NEERLANDÉS
contable	accountant	comptable	Buchhalter	boekhouder
sobrepeso	overweight	surpoids	Übergewicht	overgewicht
picar	to fall for [sth]	mordre à l'hameçon	anbeißen	happen
cara a cara	face to face	face-à-face	von Angesicht zu Angesicht	persoonlijk
al menos	at least	au moins	wenigstens	tenminste

Amor en línea Glosario

6 Me gustaría conocerte

ESPAÑOL	INGLÉS	FRANCÉS	ALEMÁN	NEERLANDÉS
pegado/a (a algo)	to be glued to [sth]	rivé, e (à qqch)	(an etwas) kleben	vastgeplakt (aan iets)
pijo/a	posh	bourge	snobistisch	bekakt
una mano de pintura	a lick of paint	un coup de peinture	neuen Anstrich	een kwastje verf
presa	prey	proie	Beute	prooi
teléfono de prepago	prepaid phone	téléphone à carte rechargeable	Prepaid-Handy	prepaid telefoon
cazador/a	hunter	chasseur, euse	Jäger/in	jager

7 El nuevo caso, que no es un caso

poner al día (a alguien)	to update [sb]	mettre (qqn) au courant	(jmdn.) auf den neuesten Stand bringen	(iemand) op de hoogte brengen
tío/a (coloquial)	guy/girl	gars/fille	Typ/ Frau	vent/wijf
ingenuo/a	naïve	ingénu, e	naiv	goedgelovig
sonrojarse	to blush	rougir	rot anlaufen	blozen
pasta (coloquial)	money, dough	frique	Kohle	Poen
compañía de seguros	insurance company	compagnie d'assurances	Versicherungs-gesellschaft	verzekerings-maatschappij
quemarse	to burn down	brûler	abbrennen	afbranden
incendio provocado	arson	incendie volontaire	Brandstiftung	brandstichting
majo/a	nice	gentil, ille	sympathisch	leuk
culpable	guilty	coupable	schuldbewusst	schuldig

8 Lo tenemos

vigilar	to watch	surveiller	beobachten	bekijken

Amor en línea Glosario

ESPAÑOL	INGLÉS	FRANCÉS	ALEMÁN	NEERLANDÉS

9 Un hombre muy normal

ESPAÑOL	INGLÉS	FRANCÉS	ALEMÁN	NEERLANDÉS
locutorio	call shop	téléboutique	Call-Shop	belwinkel
carrito de la compra	shopping trolley	chariot	Einkaufsroller	winkelwagentje
electricista	electrician	électricien	Elektriker	elektricien
llamar la atención (algo o alguien)	to catch the attention (of sb)	attirer l'attention	auffallen	de aandacht trekken (iets of iemand)
dirigirse a (alguien)	to talk to [sb]	s'adresser à (qqn)	sich an jemanden wenden	zich richten tot (iemand)
mostrador	counter	comptoir	Ladentisch	toonbank
por suerte	luckily	heureusement	zum Glück	gelukkig
disimuladamente	slyly	discrètement	heimlich	onopvallend

10 Aficionado a la poesía y a las porras

ESPAÑOL	INGLÉS	FRANCÉS	ALEMÁN	NEERLANDÉS
hojear	to leaf through	feuilleter (un livre)	(in einem Buch) blättern	doorbladeren (een boek)
caja	till	caisse	Kasse	kassa

11 Un vecino un poco raro

ESPAÑOL	INGLÉS	FRANCÉS	ALEMÁN	NEERLANDÉS
cotilla	nosy	commère	Klatschbase	roddelaar
sentir curiosidad	to be curious	être intrigué, e	neugierig sein	benieuwd zijn
caer bien (alguien a alguien)	to get on well	bien s'entendre (avec qqn)	(jmdn.) sympathisch finden	goed op kunnen schieten
informante	informant	informateur, trice	Informant	informant

Amor en línea Glosario

ESPAÑOL	INGLÉS	FRANCÉS	ALEMÁN	NEERLANDÉS

12 Un estafador, pero muy simpático

ESPAÑOL	INGLÉS	FRANCÉS	ALEMÁN	NEERLANDÉS
engaño	con, scam	arnaque	Schwindel	bedrog
destrozar	to destroy	rompre	zerbrechen	verwoesten
ser un rollo (coloquial)	to be a drag	être chiant	langweilig sein	saai zijn
aparentar	to pretend	feindre	vortäuschen	doen alsof
locutor	presenter, host	présentateur	Sprecher	nieuwslezer
ladrón	thief	voleur	Dieb	dief
contradicción	contradiction	contradiction	Einwände	tegenstrijdigheid
coquetear	to flirt	flirter	liebäugeln	koketteren

(margen manuscrito: PRESENTADOR TV)

13 Historial de navegación

ESPAÑOL	INGLÉS	FRANCÉS	ALEMÁN	NEERLANDÉS
muerto/a de curiosidad	dying of curiosity	rongé, e par la curiosité	vor Neugier platzen	heel nieuwsgierig
tener derecho a (algo)	to have the right to (sth)	avoir le droit de (qqch)	Recht (auf etwas) haben	recht hebben op (iets)
decepcionado/a	disappointed	déçu, e	enttäuscht	teleurgesteld
teclear	to type	taper	tippen	typen
a toda velocidad	at full speed	à toute vitesse	mit Hochgeschwindigkeit	op volle snelheid
decir tonterías	to talk nonsense	dire des bêtises	Unsinn reden	Onzin praten

14 Una terraza con vistas

ESPAÑOL	INGLÉS	FRANCÉS	ALEMÁN	NEERLANDÉS
temblarle las piernas a alguien	to go weak at the knees	avoir les jambes qui tremblent	weiche Knie bekommen	knikkende knieën hebben

15 No es Adolfo

ESPAÑOL	INGLÉS	FRANCÉS	ALEMÁN	NEERLANDÉS
dar un golpe	to slam	frapper	(auf etwas) schlagen	een klap geven
furioso/a	furious	furieux, euse	wütend	razend
¡menudo sinvergüenza!	what a scoundrel!	crapule !	unverschämter Lump	schaamteloze schoft
desconcertado/a	disconcerted	déconcerté, e	verblüfft	onthutst

ESPAÑOL	INGLÉS	FRANCÉS	ALEMÁN	NEERLANDÉS

16 **Adolfo, el amigo raro**

ESPAÑOL	INGLÉS	FRANCÉS	ALEMÁN	NEERLANDÉS
cárcel	jail	prison	Gefängnis	gevangenis
tener celos	to be jealous	être jaloux, ouse	eifersüchtig sein	jaloers zijn

17 **La vida es bella, quizás**

ESPAÑOL	INGLÉS	FRANCÉS	ALEMÁN	NEERLANDÉS
mudarse	to move (house)	déménager	umziehen	verhuizen